Gallimard Jeunesse - Giboulées sous la direction de Colline Faure-Poirée

© Gallimard Jeunesse, 2002
ISBN : 2-07-053764-1
Dépôt légal : janvier 2004
Premier dépôt légal : octobre 2002
Numéro d'édition : 124765
Loi n° 49956 du 16 juillet 1949
sur les publications destinées à la jeunesse
Impression et reliure : Pollina s.a., 85400 Luçon - n° L92365C
Imprimé en France.

Le Roi Hardi! Hardi!

Alex Sanders

Gallimard Jeunesse - Giboulées

Il était une fois un roi dont
jamais personne n'avait vu
le visage…
On disait de lui qu'il avait
du courage, et le cœur
sur la main.
Que jamais il ne remettait
sa tâche au lendemain.
Il avait bâti de ses propres
mains le château Cœur-Vaillant,
qui se dressait fier dans le paysage.

Messire Hardi ! Hardi ! était
un bon roi.
Certes il aimait croiser le fer,
mais toujours à ses adversaires,
il laissait le choix : de périr ou
de le servir.
Jamais il ne quittait son armure,
jamais il ne perdait un combat.
Ce Grand Seigneur était fier
d'être un aussi noble roi.

Il était chevalier, sans peur
et sans reproche.
Sa devise : « Point Ne Tremble
Quand Le Danger Approche. »
Il ne se séparait jamais de
son cheval Jean-Jean.
Qu'il avait de la noblesse,
habillé tout de blanc !
Au secours d'une altesse,
il partait sur-le-champ.

Seigneur Hardi ! Hardi !
Arrive juste à temps !
Avec sa lance d'or,
Il fait fuir les méchants !

Tel était le refrain que répétaient
les gens.
De villages en châteaux et à pas
de géant, se dessinait l'image
d'une figure légendaire :
« Messire Hardi ! Hardi ! est
un roi téméraire. »

On disait aussi que la nuit,
son cheval Jean-Jean partageait
son lit. Que jamais son armure
il n'ôtait pour dormir, qu'il la
garderait jusqu'à son dernier
soupir. Car le Roi Hardi ! Hardi !
se trouvait bien trop laid et,
par pudeur, il n'osait se montrer.

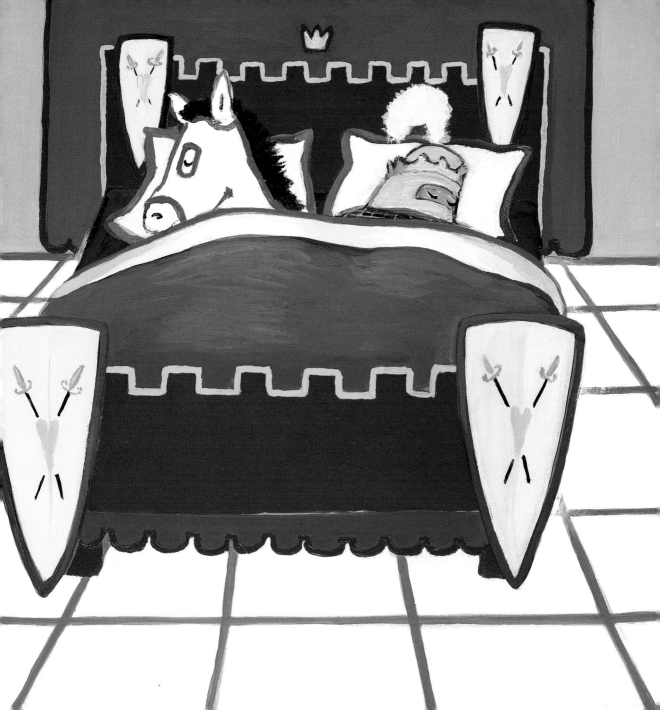

– Mais ôtez donc votre masque
de fer, que l'on découvre enfin qui
se cache derrière ! s'impatientait
la Reine BisouBisou.
– Je suis si vilain. Mon visage est
si laid. J'en suis si peu fier.
– Devons-nous donner nos bijoux
ou nous mettre à genoux pour
lever ce mystère ?
De toutes les altesses il était
le chouchou.

Mais voilà que cela faisait
des jaloux.
– Pourquoi lui et pas moi ?
bougonna le Roi BoumBoum.
Je sais ! Je vais le provoquer
en tournoi ! Et je l'écraserai
comme un petit pois !
– Excellente idée, Majesté !
Comme vous savez parler !
l'encouragea le Roi CrokCrok,
mais c'est moi qui l'attaquerai
le premier…

Et le traître n'attendit
pas que le Roi Hardi ! Hardi !
fût prêt. Le rusé Roi CrokCrok
l'attaqua par surprise,
il voulait le décapiter comme
un œuf à la coque.
Mais le courageux Hardi ! Hardi !
n'était point disposé à
se laisser occire… et de sa poigne
de fer il brisa le trident de sa
Majesté CrokCrok.

Puis vint le tour de l'invincible
Roi BoumBoum, dont la force
elle aussi était légendaire.
Le robuste souverain leva
sa terrible massue…
– Il va l'écrabouiller ! Doux Jésus !
dit en frémissant la Reine GuiliGuili.
La Reine BisouBisou faillit
s'évanouir, tellement son cœur
battait…

Le Roi Hardi ! Hardi ! désarçonna
BoumBoum, le plus costaud
des rois, et gagna le tournoi.
Mais c'est alors que CrokCrok
le félon, s'aidant de la massue,
lui fit un croc-en-jambe.
Le Roi Hardi ! Hardi ! en perdit
son heaume. Et, pour la première
fois, devant toutes les reines…

… il tomba sur le derrière et leva son mystère : il était tout roux, avec des taches de rousseur. Et c'était de cela dont il n'était pas fier ! Alors que toutes ces dames s'extasièrent de bonheur :

– Oh, qu'il est mignon ! Oh, qu'il est chou ! Il a un charme fou !

Elles tombèrent toutes
amoureuses d'un seul coup.
– Mais moi aussi je suis roux !
grommela le Roi BoumBoum,
et je n'en fais pas toute une
histoire ! Décidément je n'y
comprends rien du tout !
Eh oui ! L'amour a ses mystères,
tant pis pour les jaloux !